UDC

中华人民共和国国家标准

P

GB 51066－2014

工业企业干式煤气柜安全技术规范

Technical code for safety of waterless gasholder in industrial enterprise

2014－12－02 发布

2015－08－01 实施

中华人民共和国住房和城乡建设部
中华人民共和国国家质量监督检验检疫总局
联合发布

中华人民共和国国家标准

工业企业干式煤气柜安全技术规范

Technical code for safety
of waterless gasholder in industrial enterprise

GB 51066 - 2014

主编部门：中 国 冶 金 建 设 协 会
批准部门：中华人民共和国住房和城乡建设部
施行日期：2 0 1 5 年 8 月 1 日

中国计划出版社

2014 北 京

中华人民共和国国家标准

工业企业干式煤气柜安全技术规范

GB 51066-2014

☆

中国计划出版社出版

网址：www.jhpress.com

地址：北京市西城区木樨地北里甲 11 号国宏大厦 C 座 3 层

邮政编码：100038　电话：(010) 63906433（发行部）

新华书店北京发行所发行

三河富华印刷包装有限公司印刷

850mm×1168mm　1/32　2.25 印张　56 千字

2015 年 7 月第 1 版　2015 年 7 月第 1 次印刷

☆

统一书号：1580242・689

定价：14.00 元

中华人民共和国住房和城乡建设部公告

第 661 号

住房城乡建设部关于发布国家标准《工业企业干式煤气柜安全技术规范》的公告

现批准《工业企业干式煤气柜安全技术规范》为国家标准，编号为 GB 51066—2014，自 2015 年 8 月 1 日起实施。其中，第3.0.3、3.0.9、3.0.14(1)、3.0.15、4.1.6、4.5.2(4)、5.2.2、5.2.5(3)、6.1.13、6.1.24(1、3)条(款)为强制性条文，必须严格执行。

本规范由我部标准定额研究所组织中国计划出版社出版发行。

中华人民共和国住房和城乡建设部

2014 年 12 月 2 日

前　言

本规范是根据住房城乡建设部《关于印发〈2009年工程建设标准规范制订、修订计划〉的通知》(建标〔2009〕88号)的要求,由中冶赛迪工程技术股份有限公司会同有关单位共同编制完成的。

本规范在编制过程中,编制组经广泛调查研究,认真总结实践经验,参考国外有关先进标准,并在广泛征求意见的基础上,最后经审查定稿。

本规范共分8章,主要技术内容包括:总则、术语、基本规定、设计、施工和验收、运行与维护、检修、安全与防护等。

本规范中以黑体字标志的条文为强制性条文,必须严格执行。

本规范由住房城乡建设部负责管理和对强制性条文的解释,由中冶赛迪工程技术股份有限公司负责具体技术内容的解释。在执行过程中,如有意见或建议,请寄送中冶赛迪工程技术股份有限公司(地址:重庆市渝中区双钢路1号;邮政编码:400013)。

本规范主编单位、参编单位、主要起草人和主要审查人:

主编单位:中冶赛迪工程技术股份有限公司

参编单位:中冶京诚工程技术有限公司
中国市政工程华北设计研究总院
中冶华天工程技术有限公司
云南建工安装股份有限公司
凯迪西北橡胶有限公司
中冶实久建设有限公司
山西太钢不锈钢股份有限公司
宝山钢铁股份有限公司

主要起草人:王苏林　高海平　包儒涵　徐庆余　李　伟

刘纳新　石爱平　黄瑞民　李　铁　华志宇
胡继明

主要审查人:郭启蛟　王　莉　初世安　徐斌华　程有林
刘志强　肖志军　钱　力　李新峰

目 次

1 总 则 …………………………………………………… (1)
2 术 语 …………………………………………………… (2)
3 基本规定 …………………………………………………… (6)
4 设 计 …………………………………………………… (9)
4.1 柜址选择和防火防爆要求 …………………………… (9)
4.2 有效容积的确定 …………………………………… (12)
4.3 柜体基础 ………………………………………… (12)
4.4 柜体钢结构 ……………………………………… (12)
4.5 柜体工艺配置的其他要求 ………………………… (12)
5 施工和验收 ………………………………………………… (17)
5.1 一般规定 ………………………………………… (17)
5.2 施工 ……………………………………………… (17)
5.3 调试 ……………………………………………… (20)
5.4 验收项目 ………………………………………… (21)
6 运行与维护 ………………………………………………… (23)
6.1 运行 ……………………………………………… (23)
6.2 维护 ……………………………………………… (25)
7 检 修 …………………………………………………… (28)
8 安全与防护 ………………………………………………… (30)
本规范用词说明 ……………………………………………… (31)
引用标准名录 ………………………………………………… (32)
附:条文说明 ………………………………………………… (33)

Contents

1 General provisions (1)

2 Terms (2)

3 Basic requirements (6)

4 Design (9)

4.1 Construction site and fireproof & explosion-proof requirements (9)

4.2 Effective volume (12)

4.3 Foundation of gasholder proper (12)

4.4 Steel structure of gasholder proper (12)

4.5 Other requirements in technology design of gasholder proper (12)

5 Construction and acceptance (17)

5.1 General requirements (17)

5.2 Construction (17)

5.3 Debugging (20)

5.4 Acceptance items (21)

6 Operation and maintenance (23)

6.1 Operation (23)

6.2 Maintenance (25)

7 Overhaul (28)

8 Safety and protection (30)

Explanation of wording in this code (31)

List of quoted Standards (32)

Addition: Explanation of provisions (33)

1 总 则

1.0.1 为防止和减少干式煤气柜建设和运行过程中的安全事故和职业危害，保障人民群众生命和财产安全并保护环境，推动干式煤气柜行业技术进步，制定本规范。

1.0.2 本规范适用于工业企业储存发生炉、高炉、焦炉、转炉、铁合金等人工煤气和主要可燃组分为甲烷的天然气、煤层气、矿井气等天然可燃气体，工作表压力小于20kPa，有效容积不大于600000m^{3}的干式煤气柜工程设计、施工和运行管理中的安全要求。

1.0.3 工业企业干式煤气柜设计、施工和运行管理中的安全要求，除应符合本规范的规定外，尚应符合国家现行有关标准的规定。

2 术　语

2.0.1 干式煤气柜　waterless gasholder(dry type gasholder)

干式煤气柜简称干式柜、干式储气柜或干式储气罐,是相对于采用水为密封介质的湿式煤气柜而言的,其密封形式为非水密封,为具有活塞密封结构的现场煤气储存设备,其储气压力是由活塞钢结构、密封装置、导轮和活塞配重等的自重产生的。目前国内主要分为三种柜型:多边形稀油密封煤气柜及圆筒形稀油密封煤气柜(本规范中统称为稀油柜)和橡胶膜密封煤气柜。本规范中干式煤气柜简称干式柜。

2.0.2 多边形稀油密封煤气柜　piston, oil seal, polygonal shell type gasholder(P. O. P. or polygonal gasholder)

一种采用稀油和钢质滑板密封装置的活塞密封方法,具有正多边形外形特征的干式柜,又称多边形稀油密封储气柜,本规范中简称为多边形柜。

2.0.3 圆筒形稀油密封煤气柜　piston, oil seal, cylindrical shell type gasholder(P. O. C. or cylindrical gasholder)

一种采用稀油和条形橡胶制品密封装置的活塞密封方法,具有圆筒形外形特征的干式柜;又称圆筒形稀油密封煤气柜,本规范中简称为圆筒形柜。

2.0.4 橡胶膜密封煤气柜　piston, rubber membrane seal, cylindrical shell type gasholder(P. R. C. or membrane seal gasholder)

以橡胶膜作为密封材料封闭煤气的干式柜,具有采用特制橡胶膜的活塞结构和圆筒形外形特征,也称布帘式柜、皮膜柜、卷帘柜或橡胶膜密封储气柜。本规范中简称为膜密封柜。

2.0.5 工作压力　gas pressure

由干式柜活塞结构自重(含配重)产生的储气压力,称为工作压力。对于二段式膜密封柜,应分别注明活塞一段升起和二段升起时的工作压力。

2.0.6 有效容积 effective capacity

干式柜活塞从落底达到紧急放散时可储气体的几何容积。

2.0.7 活塞倾斜量 piston inclination

活塞直径两端的相对高差的最大测量值,表示活塞运行中偏离其基准水平面的程度。

2.0.8 柜体 gasholder proper

由柜底板、底部油沟、立柱、侧板、回廊、活塞结构、密封装置、柜顶结构、柜位计和稀油柜的供油系统和外部电梯等干式柜筒体周边外约3m范围内的设施组成。

2.0.9 柜区 gasholder area

干式柜围墙(含栅栏)以内的区域,柜区内包含柜体、围墙、大门、消防车道及消防设施、公用介质管道及计量、配电室和控制室等干式柜附属设施。

2.0.10 立柱 column

柜体筒体的主要构件,采用型钢加工而成(与侧板焊接成干式柜筒体),起加强侧板、承担筒体内外荷载和自重、保持活塞垂直运动的作用。第一段立柱称基柱,在稀油柜直径对应位置设置用于安装防回转装置的立柱称防回转柱。

2.0.11 活塞 piston

在干式柜筒体内随气体增加或减少而上升或下降并起密封作用的装置。

2.0.12 回廊 gallery

为人员通行和操作设置在干式柜筒体外侧的环形平台。

2.0.13 密封装置 seal device

设在干式柜活塞周边,在活塞上下移动时可封闭煤气防止外泄的装置,也叫密封机构。

2.0.14 底部油沟　bottom oil trough

在稀油柜中，由柜体侧板和立柱组成的筒体下部、底板及挡板组成的收集密封油的环形沟，也称柜底油槽。

2.0.15 内部吊笼　internal lift(internal cage)

在稀油柜内部，实现柜顶与活塞之间人员和物资输送的防爆升降机。

2.0.16 紧急救助装置　emergency rescue device

在稀油柜中，当内部吊笼故障或停电时，对活塞上的人员进行紧急救助的机械设备，也称救助提升装置或手动救助装置。

2.0.17 油泵站(房)　oil pump station(room)

向稀油柜活塞油沟或预备油箱补充经油水分离后的密封油的循环供油装置，也称密封油站。室内布置的油泵站与房屋一起称为油泵房、油泵站房或密封油站。

2.0.18 预备油箱　reserve oil tank

储存在事故状态下(如停电、密封油无法通过油泵正常补充时)为保障稀油柜活塞密封安全运行一段时间所需备用油的油箱。

2.0.19 紧急放散管　emergency release pipe

设在稀油柜筒体上部，为防止活塞冲顶设置的最后一道过剩煤气自动放散装置。

2.0.20 安全放散管　safety release pipe

为防止稀油柜活塞冲顶，引出柜内过剩煤气并由阀门控制放散量的装置。正常生产时不允许使用。

2.0.21 防回转装置　tangential guide of piston(avoid turn device)

在稀油柜中，与柜筒体防回转柱一起防止活塞水平旋转的机械装置。

2.0.22 静置油槽　vessel for sediment

为保证多边形柜密封装置长期运行，设在活塞周边静置分离密封油中的残留水和杂质的油箱。

2.0.23 浮升法　piston up method

利用鸟形钩将活塞与柜顶结构连为一体且形成操作平台，在活塞下部鼓入空气使活塞和柜顶升起就位，分步安装焊接侧板和立柱等稀油柜筒体构件的一种施工方法。

2.0.24 鸟形钩　piston hanger

浮升法施工中用于上联柜顶下联活塞并将柜顶和活塞的重量传递到立柱上，形状像鸟嘴状的特殊工装。

2.0.25 挂钩板　piston hanger stopper

浮升法施工中用销钉固定在立柱上的组孔距精密的多孔钢板，用于将柜顶和活塞重量通过鸟形钩传递到立柱上。

2.0.26 侧板提升机　hoist on roof

浮升法施工中设于柜顶用于构件吊装的施工机械。

3 基本规定

3.0.1 干式柜工程抗震设计应符合表3.0.1的规定：

表3.0.1 干式柜工程抗震设计要求

抗震设防烈度	抗震设计要求
6度	可不作抗震计算
7度、8度	应进行抗震设计，宜提高1度采取抗震措施
9度	应进行抗震设计，适当加强抗震措施

3.0.2 送煤气操作或停煤气检修干式柜时，应采用氮气等惰化气体为置换介质。

3.0.3 **干式柜外部电梯和内部吊笼必须采用防爆型。**

3.0.4 外部电梯应按现行特种设备规范和国家现行防爆规范进行管理和维护。内部吊笼应执行生产厂家的使用维护说明书的要求。

3.0.5 柜区应设置围墙与外部环境隔离，并设置安全警示牌。围墙和安全警示牌的设置应符合下列要求：

1 外来人员未经许可不得进入柜区；

2 当建设场所临近海洋、河流、湖泊、山崖不便于设置围墙时，临近侧应设置安全警示牌；

3 当柜区毗邻民用区域时，宜采用实体围墙。

3.0.6 干式柜运行与维护岗位应选用身体健康人员，并宜每年进行一次体检予以确认。有人值班的干式柜运行与维护岗位值班人员不应少于2人。

3.0.7 干式柜应设现场控制室，干式柜的控制、监视和报警等信号应送至24h有人值守处。

3.0.8 干式柜运行与维护岗位应按储存气体特性配置便携式煤

气浓度测定仪，并配备防爆型无线对讲机、呼吸器和防爆手电筒等设施。

3.0.9 干式柜活塞上部应设置固定式煤气浓度监测装置，其监测信号应送到干式柜的控制室并设置声、光报警的显示和记录，还应符合下列规定：

1 对储存无毒燃气的干式柜，在达到爆炸下限的20%时应有报警信号；

2 对储存有毒燃气的干式柜，在有毒燃气泄漏到活塞上方达到国家现行有关工作场所有害因素职业接触限值所规定的浓度限值时，应有报警信号。

3.0.10 进入投运后的干式柜活塞上部工作的人员应携带煤气浓度测定仪和防爆型无线对讲机，穿戴好劳动保护用品，不应穿易产生火花的鞋、袜，不得携带手机、火种及易燃、易爆物品，在活塞上宜使用不发火花的工具。

3.0.11 柜区内严禁烟火。干式柜侧板外侧6m范围内不应有障碍物、腐蚀性物质和易燃物。

3.0.12 运行中的干式柜柜体侧板外侧40m范围内的动火作业应执行动火审批制度。

3.0.13 下列干式柜作业应制定安全技术措施和应急预案：

1 柜体基础模板施工；

2 稀油柜浮升法安装、柜顶固定和活塞落底；

3 膜密封柜柜顶整体吊装；

4 柜体涂装；

5 调试；

6 柜体检修。

3.0.14 进入活塞下部维护和检修时应符合下列规定：

1 与干式柜检修无关的所有气体进出口管必须可靠切断；

2 经取样，活塞下部气体中一氧化碳浓度小于或等于200mg/m^3(160ppm)时和可燃气体浓度降到其爆炸下限的20%

以下后，停止置换，打开人孔和放散阀，加强干式柜内通风换气，直至活塞下方气体浓度检测合格为止；

3 在进入积灰厚的柜底板作业前应除去积灰中的煤气；

4 在活塞下部空间的沉淀物可能自燃的情况下，应配备灭火器材并安排专人监视；

5 在煤气防护人员监护下佩戴呼吸器和便携式煤气浓度检测仪，可初次进入活塞底部；

6 直到煤气防护人员确认活塞下部及死角部位空气中有害物质浓度符合现行国家标准《工业企业煤气安全规程》GB 6222 的有关规定，且含氧量符合现行国家标准《缺氧危险作业安全规程》GB 8958 的有关规定、通风良好后，才可不佩戴呼吸器；

7 每次进入活塞下部时应佩戴便携式煤气浓度检测仪，人员和工器具均应登记并确认返回，出入口处应有专人监护；

8 照明电压应符合现行国家标准《工业企业煤气安全规程》GB 6222 的有关规定。

3.0.15 活塞下部严禁出现负压。

4 设 计

4.1 柜址选择和防火防爆要求

4.1.1 干式柜的柜址选择应遵循下列原则：

1 远离烟囱布置；

2 符合国家和当地政府的机场空域规划；

3 符合现行国家标准《工业企业煤气安全规程》GB 6222 的有关规定；

4 符合国家和当地政府对危险化学品的相关安全管理规定。

4.1.2 干式柜与其他建、构筑物的防火间距应符合下列规定：

1 干式柜与建筑物，可燃液体储罐，堆场和室外变、配电站之间的防火间距应符合下列规定：

1)干式柜与建筑物，可燃液体储罐，堆场和室外变、配电站之间的防火间距不应小于表 4.1.2 的规定。

2)当煤气的相对密度比空气大时，干式柜与建筑物、可燃液体储罐、堆场的防火间距，应按表 4.1.2 规定增加 25%；当煤气的相对密度比空气小时，应按表 4.1.2 的规定执行。

3)当一、二级耐火等级的厂区建筑物内无人值守时，可仍按表 4.1.2 的规定执行。

4)煤气进出口管地下室、油泵站房和外部电梯间等附属设施与干式柜的防火间距，可按工艺要求布置。

2 干式柜与电捕焦油器、电除尘器和加压机等露天燃气工艺装置的防火间距应符合下列规定：

表 4.1.2 干式柜与建筑物、可燃液体储罐、堆场和室外变、配电站的防火间距(m)

名称	干式柜的有效容积 $V(m^3)$					
	$V<1000$	$1000\leqslant V<10000$	$10000\leqslant V<50000$	$50000\leqslant V<100000$	$100000\leqslant V\leqslant 300000$	$300000<V\leqslant 600000$
甲类物品仓库,明火地点或散发火花的地点,甲、乙、丙类液体储罐,可燃材料堆场,室外变、配电站	20.0	25.0	30.0	35.0	40.0	45.0
高层民用建筑	25.0	30.0	35.0	40.0	45.0	50.0
裙房,单层或多层民用建筑	18.0	20.0	25.0	30.0	35.0	40.0
其他建筑 耐火等级 一、二级	12.0	15.0	20.0	25.0	25.0	30.0
其他建筑 耐火等级 三级	15.0	20.0	25.0	30.0	35.0	40.0
其他建筑 耐火等级 四级	20.0	25.0	30.0	35.0	40.0	45.0

注:1 干式柜的有效容积(V)指单柜有效容积;

2 防火间距以干式柜的侧板外壁计;

3 明火地点是指室内外有外露火焰或赤热表面的固定地点。散发火花的地点是指有飞火的烟囱或室外的砂轮、电焊、气焊等固定地点。

1)在柜区围墙外与干式柜无关的露天燃气工艺装置可按一、二级耐火等级的建筑物确定其与干式柜的防火间距。

2)在柜区围墙内与干式柜配套运行的露天燃气工艺装置与该干式柜的防火间距不宜小于6m。

3)在柜区围墙内不与干式柜配套运行的露天燃气工艺装置与干式柜的防火间距应按以下原则确定:燃气密度轻于空气时不宜小于15m;燃气密度重于空气时不宜小

于 18m。

4）确定防火间距时应方便施工。

注：在计算防火间距时，室外电捕焦油器、电除尘器和加压机等露天燃气工艺装置以设备本体水平投影的外缘为准。

3　干式柜与不燃气体储罐之间的防火间距不宜小于 6m，且不应妨碍消防作业。

4　干式柜与可燃气体储罐之间、助燃气体储罐之间或干式柜与铁路、道路的防火间距，干式柜与架空电力线的最近水平距离均应按现行国家标准《建筑设计防火规范》GB 50016 的有关规定执行。

5　干式柜侧板外壁与实体围墙的间距，应按现行国家标准《钢铁冶金企业设计防火规范》GB 50414 的有关规定执行。在采用栅栏围墙时，栅栏围墙与柜体侧板外壁的净距不宜小于 6m，且栅栏围墙与外部电梯机房或油泵站房等的净距不宜小于 5m。

4.1.3　干式柜的消防水设计应符合下列要求：

1　可采用生产消防给水管网系统供水；

2　干式柜不宜设固定喷水冷却灭火系统；

3　柜区的消防水量应按有效容积最大的 1 座干式柜的消防水量确定；

4　需设置环状消防给水管网的干式柜，当只有 1 条给水管道时，应设置消防水池及消防水泵房；

5　干式柜的消防水设计还应符合现行国家标准《建筑设计防火规范》GB 50016 的有关规定。

4.1.4　干式柜建筑灭火器的配置应符合现行国家标准《建筑灭火器配置设计规范》GB 50140 的有关规定。

4.1.5　柜区不宜种植高大乔木及油脂性植物。

4.1.6　干式柜防爆分区应符合下列规定：

1　干式柜活塞与柜顶间的空间和煤气进出口管地下室应为防爆 1 区；

2 干式柜侧板外3.0m范围内，柜顶上4.5m范围内和油泵站内应为防爆2区；

3 干式柜外部电梯机房和井道内的电气装置应按防爆2区配置。

4.2 有效容积的确定

4.2.1 干式柜有效容积的计算应包括气源突然减少或中断时的安全容量、煤气产供变动调节容量、突发增多安全容量和上下限保安容量四部分。

4.2.2 上、下限保安容量均不宜小于干式柜有效容积的5%。

4.3 柜体基础

4.3.1 柜体基础埋深宜达到冻土层深度以下。

4.3.2 柜体基础顶面应高于周边场地300mm以上。

4.4 柜体钢结构

4.4.1 柜体钢结构设计应保证施工和正常使用时的安全。

4.4.2 柜体的安全等级应为二级，重要性系数不应小于1.0，防腐设计寿命不宜小于5a。

4.4.3 柜体外侧回廊平台板宜采用花纹钢板。

4.5 柜体工艺配置的其他要求

4.5.1 柜体通行和疏散设计应符合下列规定：

1 干式柜外部的钢平台、走梯和防护栏杆应符合现行国家标准《固定式钢梯及平台安全要求 第1部分：钢直梯》GB 4053.1、《固定式钢梯及平台安全要求 第2部分：钢斜梯》GB 4053.2和《固定式钢梯及平台安全要求 第3部分：工业防护栏杆及钢平台》GB 4053.3的有关规定；

2 干式柜应至少设置1处从地面到柜体顶部的外部走梯；

3　柜体外侧回廊平台宽度不宜小于700mm；

4　干式柜应设置检修人员进入活塞上部和下部区域的通道；

5　干式柜柜体上的门应向外开启；

6　稀油柜应设置紧急救助装置；

7　圆筒形柜柜顶内侧应设置回转平台，其进出口宜设在柜顶。

4.5.2　活塞走行系统设计应符合下列要求：

1　活塞走行系统应采取有利于保证活塞密封系统安全性的结构；

2　机械柜位计和调平装置的配重下方地面附近均宜设围栏或明显的警示标志；

3　活塞导轮应能适应柜体温差变形；

4　稀油柜必须设防回转装置，防回转装置的接触面应有防止撞击产生火花的措施；

5　膜密封柜的活塞限位导轮应采取适宜的缓冲措施；

6　膜密封柜应设调平装置，调平装置的配重应在全行程范围内设导轨。

4.5.3　活塞密封装置设计应符合下列要求：

1　密封装置的上方不应设置可能导致物品坠落的设施；

2　密封装置的所有部件应根据介质条件和工作状态采取适宜的防腐、耐化学浸泡和耐磨措施；

3　稀油柜活塞密封装置密封件的悬吊机构和压紧机构应能适应筒体的变形，且有防松动措施；

4　稀油柜的活塞密封装置分隔堰应采取防止堰部帆布倾翻的措施；

5　多边形柜静置油槽应能防止活塞倾斜或油面波动时密封油溢流到活塞上。

4.5.4　密封油系统设计应符合下列规定：

1　应根据储存介质和环境温度选择具有适宜的黏度、倾点、闪点和油水分离性能的密封油；

2 密封油供油系统应能够实现自动运行，工作泵输油量不能满足活塞密封的需要时备用泵应自动投入运行；

3 油泵站内的油水分离器应能自动排水、密封煤气并实现对活塞油沟油位的调节控制；

4 供油系统应设预备油箱，预备油箱的设置应符合下列规定：

1)预备油箱的总储油量不宜少于停电时稀油柜活塞密封安全运行5h的所需量；

2)预备油箱应有排除积水和防止密封油飞溅的措施。

4.5.5 气体进出口管道的设计应符合下列要求：

1 煤气进出口管道上应设可靠的隔断装置及与柜容联锁的快速开闭阀门；

2 煤气出入口管道最低点应设排水器；

3 煤气出入口管道设计应能适应柜体基础下沉所引起的管道变形；

4 煤气进出口管设水封时，应采取防止水封缺水的措施；

5 稀油柜应设检修风机口、置换放散管和紧急放散管等设施；

6 膜密封柜应设检修风机口和自动安全放散系统。

4.5.6 加热、通风和自然采光设计应符合下列要求：

1 稀油柜的加热应符合下列要求：

1)在严寒和寒冷地区，应在油泵站(房)及其储油箱和油上升管道采取适宜的加热或保温措施；

2)应根据防冻的需要设底部油沟加热装置和活塞油沟加热装置。

2 干式柜通风孔上应有防鸟措施。

3 外部电梯井道应设采光窗。

4 稀油柜柜顶应设采光窗，采光窗应采取防止人员坠落的措施。

5 膜密封柜应采取防止自然光直射柜内的措施。

4.5.7 供电、照明和防雷设计应符合下列规定：

1 柜区供电系统设计宜符合现行国家标准《供配电系统设计规范》GB 50052中一级负荷的规定，当用户允许干式柜短时脱离主管网运行时，可按二级负荷供电。

2 柜区消防用电应符合现行国家标准《建筑设计防火规范》GB 50016的有关规定。

3 照明设计应符合下列要求：

1）柜顶周边、巡检和疏散用走梯、需要操作的回廊、稀油柜的气楼和电梯通道照明、电梯机房和油泵站（房）以及站区煤气系统操作平台、站区内道路应设照明；

2）外部电梯的照明设计应符合现行国家标准《电梯制造与安装安全规范》GB 7588的有关规定；

3）柜体照明灯具应选用防爆节能型，航空障碍灯应采用自动通断电源的控制装置；

4）柜区的消防应急照明和消防疏散指示标志应符合现行国家标准《建筑设计防火规范》GB 50016的有关规定；

5）干式柜的照明设计还应符合现行国家标准《建筑照明设计标准》GB 50034的有关规定。

4 干式柜航空障碍灯的设置应符合现行行业标准《航空障碍灯》MH/T 6012和《民用机场飞行区技术标准》MH 5001的有关规定。

5 干式柜防雷设计应符合现行国家标准《建筑物防雷设计规范》GB 50057的有关规定。

4.5.8 检测和控制设计除应符合本规范第3.0.10条的规定外，还应符合下列规定：

1 柜体工作压力应有高、低压声光报警和联锁保护措施。

2 干式柜应设置机械柜位计和电子式柜位计各1套。应设柜位高、低位声光报警，并宜与进出口管道阀门联锁。

3 应有活塞超速声光报警信号。

4 稀油柜还应符合下列要求：

1) 应设活塞倾斜量超限声光报警信号；

2) 油泵站房应设置煤气浓度在线检测装置；

3) 应设置油泵启动次数和持续时间的在线检测装置，并应具有时间累计功能；

4) 应设置活塞油沟油位高度的在线检测装置，宜设置底部油沟油位及水位在线检测装置。

5 煤气进出口管地下室应设通风换气设施和煤气浓度检测报警装置。

4.5.9 通信设计应符合下列要求：

1 有人值守的控制室应设置行政电话、调度电话和防爆型无线对讲机；

2 外部电梯的紧急报警电话应符合现行国家标准《电梯制造与安装安全规范》GB 7588 的有关规定；

3 控制室火灾自动报警系统的设计应符合现行国家标准《火灾自动报警系统设计规范》GB 50116 的有关规定。

4.5.10 节能减排设计应符合下列要求：

1 柜区计量装置的设计应符合现行国家标准《用能单位能源计量器具配备和管理通则》GB 17167 的有关规定；

2 柜区的机电设备应采用节能设备；

3 干式柜生产废水的外排，应符合现行国家环保标准和当地环保部门的规定。

5 施工和验收

5.1 一般规定

5.1.1 干式柜的施工应按设计进行,当有修改应经原设计单位书面同意。工程的隐蔽部分,检查合格后才能封闭。干式柜施工完毕,应编制竣工说明书和竣工图,提交测量数据,交付使用单位存档。

5.1.2 在施工组织设计中应编写安全文明施工章节,并应明确高处及交叉等作业的安全技术措施。

5.1.3 施工中当发现安全技术措施有缺陷或隐患时,应修订;危及人身与设备安全时,应停止作业。

5.2 施 工

5.2.1 柜体施工过程中的周边安全措施应符合下列要求:

1 应设置柜体施工用的安全通道,安全通道的外缘与柜体侧板的净距不宜小于 8m,并应设置明显的安全警示标牌;

2 应有防止高处作业的工器具及零部件等坠落的措施。

5.2.2 **严禁在雷雨、雪天、浓雾、六级及以上大风等恶劣气候条件下进行露天构件吊装、浮升操作、柜顶固定和活塞落底、吊装柜顶作业。**

5.2.3 柜体施工应符合下列规定:

1 在施工过程中,应设置避雷装置,且接地电阻不得大于 10Ω;

2 严寒和寒冷地区的冬季施工,应有可靠的防滑、防冻和防寒措施;

3 应有应对风荷载对施工机具影响的措施。

5.2.4 柜体施工期间下列部位应设置建筑灭火器：

1 基础周边、活塞表面、柜顶和外部悬挂操作平台；

2 油漆储存间、氧气储存间、乙炔储存间和储存可燃物的库房；

3 密封装置的组装区域。

5.2.5 柜顶中央台架的架设和拆除应符合下列规定：

1 中央台架应满足稀油柜柜顶荷载以及设置于柜顶的侧板提升机等施工荷载的要求，其设计荷载应为工作荷载的2倍；

2 中央台架上应设置直爬梯及其他登高用拉攀件，并应制定中央台架安装拆除的顺序与方法；

3 在柜顶安装过程中，桁架就位后必须焊接完毕；

4 中央台架的拆除应符合下列要求：

1)应在柜顶梁和柜顶板焊接完成并检验合格，且柜顶中心环与中央台架脱开24h后进行；

2)拆除过程中应观察柜顶结构和中心环的变化状况及下降量。

5.2.6 活塞系统施工应符合下列规定：

1 活塞安装应按施工方案进行，就位的活塞桁架构件应焊接完毕。

2 在需要行走的活塞桁架、箱形梁等部位，应设置临时护栏。

3 应设置由活塞至地面、活塞至柜底板等部位的安全通道。

4 圆筒形柜活塞板仰焊作业的焊接操作平台应符合国家现行安全规范的要求。

5 在敷设圆筒形柜活塞板时，宜由外向柜中心敷设，且应沿活塞主径向梁设置生命绳。生命绳宜使用直径不小于8mm的钢丝绳。

6 膜密封柜活塞施工还应符合下列要求：

1)活塞首次提升及装拆活塞支柱，应采用鼓风方式进行；

2)活塞首次提升时的鼓风应缓慢进行；

3)装拆活塞支柱时应同步鼓风，不得断电。

5.2.7 柜体超重、超大构件吊装应编制专项吊装方案。

5.2.8 密封橡胶制品及兜底帆布等非金属件安装过程中应采取可靠的防火措施。

5.2.9 侧板提升机、外部悬挂操作平台、鸟形钩系统和柜顶整体吊装设备等特殊工装的使用应符合下列规定：

1 应编制侧板提升机和外部悬挂操作平台的安装、拆除专项方案和安全操作规程。

2 侧板提升机的使用应符合下列要求：

1)侧板提升机操作人员应培训合格上岗；

2)柜顶结构完工前，两台提升机不得在同一半周内进行吊装作业；

3)当用提升机进行双机抬吊作业时，应在柜顶结构完工后才能进行。

3 应每天检查外部悬挂操作平台焊缝及吊杆连接螺栓。

4 鸟形钩系统的使用应符合下列规定：

1)鸟形钩及挂钩板的设计强度不得小于浮升荷载的1.5倍；

2)销钉的数量和材质应经过计算确定，销钉材料应经过检验合格后才能使用；

3)应在统一指令下进行鸟形钩挂钩操作，在全部鸟形钩均受力后才能停风机；

4)每次浮升后均应检查销钉螺栓受力状态；

5)每日下班前应由两人检查销钉螺栓受力状态。

5 浮升用水泵能力应满足浮升安全需要。

6 膜密封柜柜顶整体吊装设备的使用应符合下列要求：

1)柜顶环梁在焊接完成后，应进行焊缝无损检测；

2)柜顶吊装支撑架、卷扬机、液压千斤顶、钢丝绳、绳夹、卸扣等整体吊装设备部件应检查确认；

3)吊装电动葫芦使用前应进行行走试验和负荷试验。

5.2.10 干式柜施工临时用电设施应符合下列规定：

1 柜内活塞、柜顶表面的电缆应架空敷设，不得于活塞柜顶表面拖拉。

2 柜顶侧板提升机使用的操作手柄电压不应超过24V。

3 柜体浮升电缆应预留浮升长度，搁置于地面的部分电缆应设置防护罩。浮升电缆应配置悬挂钢丝绳。

4 应符合现行行业标准《施工现场临时用电安全技术规范》JGJ 46的有关规定。

5.2.11 柜体油漆涂装应符合下列要求：

1 柜内涂装作业不应与柜内动火作业同时施工；

2 柜外涂装作业与动火作业交叉时，应采取隔离措施；

3 通风不良地点的涂装应采取强制通风措施；

4 在油漆涂装作业区应设有明显的禁止烟火标识；

5 油漆、稀释剂等的堆放应符合国家对危化品的相关管理规定。

5.3 调 试

5.3.1 调试的介质应为空气。

5.3.2 稀油柜开始注油或膜密封柜密封膜吊装开始后，柜内不得动火。

5.3.3 稀油柜不应进行紧急放散试验；膜密封柜则应进行自动放散试验。

5.3.4 活塞初次充气起步时，应符合下列规定：

1 稀油柜速度不宜超过0.2m/min；

2 膜密封柜应缓慢充气。

5.3.5 干式柜调试的安全考核指标除应按现行国家标准《工业企业煤气安全规程》GB 6222的有关规定执行外，还应符合表5.3.5的规定。

表 5.3.5 干式柜调试的安全考核指标

项　目	多边形柜	圆筒形柜	膜密封柜
工作压力(Pa)	符合设计要求		
活塞升降时柜内气体压力波动(Pa)	±200	±300	符合设计要求
活塞水平旋转量(mm)	符合设计要求		±50
活塞油沟油位高度	符合设计要求		—
活塞倾斜量(mm)	晴天:D/500;阴天:D/1000		符合设计要求
活塞快降速度	符合设计要求		
柜体报警和联锁功能	活塞位置高度的声光报警与各阀门的动作联锁应正常		

注:1　D 为干式柜侧板内壁最大直径;

2　稀油柜活塞水平旋转量的检查方法:在每个防回转装置处测量其二侧滑块与防回转柱端面的间隙之和;膜密封柜水平旋转量的检查方法:检查 T 挡板或活塞升降过程中相对于筒体上垂直基准线的水平旋转量。

5.3.6　干式柜严密性试验应执行现行国家标准《工业企业煤气安全规程》GB 6222 的有关规定。

5.4 验收项目

5.4.1　柜体焊缝的检查应包括下列项目:

1　侧板的外侧焊缝;

2　柜顶板外侧和有气密性要求的角焊缝;

3　凡能够采用抽真空法进行气密性检查的底板和活塞板密封煤气的焊缝;

4　稀油柜立柱的对接焊缝;

5　设计文件要求检查的其他焊缝。

5.4.2　特殊设备的验收应包括下列项目:

1　外部电梯;

2　内部吊笼;

3　紧急救助装置。

5.4.3　安全设施的验收应包括下列项目:

1 防雷接地；

2 消防系统；

3 煤气浓度检测设施；

4 防爆设施；

5 防触电设施；

6 安全联锁和报警系统；

7 安全警示标志。

5.4.4 安全设施的验收资料应包括下列内容：

1 设计文件和设备资料；

2 柜体各分部分项施工验收记录；

3 单体和联动调试验收记录。

6 运行与维护

6.1 运　　行

Ⅰ 送煤气操作

6.1.1 首次送煤气作业应由使用单位的煤气操作人员进行，施工单位及设计单位配合。

6.1.2 置换空气前，应确认柜体及柜区的工艺和电气、仪表等附属设施处于正常工作状态。

6.1.3 置换介质管道宜与柜体管道软管连接，置换作业完成后应断开。

6.1.4 置换过程中，应控制阀门开度，保持干式柜内压力不低于500Pa。对于稀油柜，还应保持活塞油沟油位高度。

6.1.5 经取样化验，确认柜内气体含氧量小于或等于1%后，应缓慢打开干式柜进口管阀门送入煤气，并控制放散阀开度，保持柜内压力不低于500Pa。

6.1.6 化验和爆发试验取样位置应具有代表性并有足够数量的气体取样点。各取样点取样做爆发试验合格后，关闭吹扫阀和放散阀。

6.1.7 置换过程中，应始终保持吹扫介质的压力高于柜内气体压力1kPa以上。

6.1.8 置换过程中任何人员不得停留在干式柜的活塞上。

Ⅱ 运行监控

6.1.9 每小时宜记录一次干式柜运行参数并保存一段时间。运行参数宜包含下列内容：

1 稀油柜的柜容、柜内煤气压力、柜内煤气温度、活塞运行速度、煤气进出口管道内煤气压力、活塞上部煤气浓度、油泵启动次数和时间；

2　膜密封柜的柜容、柜内煤气压力、柜内煤气温度、活塞运行速度、活塞上部煤气浓度、煤气进出口管道内煤气压力、煤气进口管道内煤气温度。

6.1.10　干式柜运行参数报警后，应查找原因、采取应对措施，同时向相关部门汇报。

6.1.11　活塞的升降速度可通过操作煤气进出口阀门的开度进行控制。

6.1.12　当机械式柜位计和电子式柜位计显示的柜容偏差超过设定值时，应查找原因并校正。

6.1.13　正常运行时，不得通过稀油柜安全放散管或膜密封柜自动放散系统排放煤气。

6.1.14　底部油沟液位观察镜的阀门应处于常闭状态。

6.1.15　转炉煤气柜进口管的煤气含氧量不应超过2%。

6.1.16　未经管理者批准，不得修改干式柜及其附属设施的报警参数和保护设定值，不得关闭声光报警装置。

Ⅲ　停煤气操作

6.1.17　干式柜停止运行前，宜按以下规定控制活塞下降速度，直至活塞落底：

1　当活塞位置距干式柜底部10m以上时，活塞下降速度宜按正常速度控制；

2　当活塞位置距干式柜底部5m至10m范围内时，活塞下降速度不宜高于0.5m/min；

3　当活塞位置距干式柜底部2m至5m范围内时，活塞下降速度不宜高于0.3m/min；

4　当活塞位置距干式柜底部2m以下时，活塞下降速度不宜高于0.2m/min。

6.1.18　干式柜活塞落底后，应将柜体与外部煤气管道可靠切断。

Ⅳ　特殊操作

6.1.19　干式柜活塞倾斜量超标时，应查明原因并处理。

6.1.20 干式柜活塞导轮或限位导轮与筒体内壁接触发出异常响声，应综合分析判断后采取对应措施。

6.1.21 稀油柜每季度宜进行一次全行程运行操作。

6.1.22 当干式柜内壁有可能结冰或挂霜时，应增加活塞升降频次和范围。

6.1.23 在柜顶的监护人员发生意外时，内部吊笼内工作人员可操纵吊笼内部的操纵杆进行自救。

6.1.24 稀油柜柜区停电后的操作应符合下列要求：

1 **应启用预备油箱中的密封油；**

2 应落实恢复供电时间；

3 **除去预备油箱放油的操作人员外，其他人员应撤离柜体。**

6.1.25 当稀油柜活塞冲顶时应采取下列措施：

1 保持活塞油沟油位高度和降低柜位；

2 调节阀门开度控制活塞的下降速度；

3 活塞落底后，应查找冲顶原因，清理柜体四周散落的密封油。

6.1.26 当膜密封柜活塞冲顶时应采取下列措施：

1 关闭煤气进口阀门；

2 检查自动放散系统的复位状态。

6.2 维　　护

6.2.1 上干式柜检查前，应确认疏散通道畅通。

6.2.2 进入干式柜内检查时，应符合下列规定：

1 呼吸器气压应正常，气量充足；

2 活塞上方空气中的煤气浓度应在容许范围内；

3 外部电梯和内部吊笼动作应正常、限位开关应准确有效；

4 外部电梯和内部吊笼应由经专门培训后的人员操作；

5 稀油柜活塞上有人作业时，内部吊笼操作平台上应有专人监护；

6 紧急救助装置处于安全可用的状态；

7 当巡检人员进出膜密封柜内部时，活塞应处于静止状态，并应安排专人在侧板门口处监护。

6.2.3 进入可能引起一氧化碳职业危害的干式柜内活塞上巡检应至少2人同行，并应佩戴2个及以上一氧化碳检测仪和防爆型对讲机，每人均应佩戴呼吸器。

6.2.4 进入干式柜内部检查作业前或离开后应向控制室值班人员报告。

6.2.5 在雷电天气工作人员不得上干式柜或进入柜内。

6.2.6 进入油泵站房前，宜启动轴流风机，同时检测室内煤气浓度。

6.2.7 当工作人员携带的器具和工具放置在活塞密封装置上方或附近时，应采取措施固定。

6.2.8 运行及维护时，应检查稀油柜的下列项目并记录：

1 柜体是否泄漏煤气、渗油、腐蚀或变形；

2 底部油沟窥视镜是否完好，油水位是否在允许的范围之内；

3 声光报警装置是否正常投用；

4 阀门、法兰、人孔是否泄漏煤气；

5 平台、走梯、护栏有无开裂，是否牢固；

6 活塞导轮是否与立柱正常接触；

7 防回转装置的磨损程度；

8 活塞油沟的油位和活塞倾斜量；

9 检查预备油箱的储油量并排水；

10 机械柜位计的钢丝绳磨损及绳卡紧固情况；

11 内部吊笼工作是否正常；

12 中央底板排水水封高度是否正常；

13 油泵站水封高度及排水是否正常，是否应清洗油过滤网；

14 密封装置是否工作正常；

15 密封油的技术指标；

16 油泵站各室底部的污物；

17 其他需要检查的项目。

6.2.9 运行及维护时，应检查膜密封柜的下列项目并记录：

1 柜体是否泄漏煤气、腐蚀或变形；

2 底板排水器是否排水良好；

3 调平装置的配重导轨、配重块、导向轮、钢丝绳张力和磨损及绳卡紧固情况；

4 T档板与侧板间隙、活塞与T档板间隙是否在允许范围内；

5 自动放散系统是否泄漏；

6 活塞的倾斜量；

7 机械柜位计的钢丝绳磨损及绳卡紧固情况；

8 密封膜及波纹板的工作状态；

9 其他需要检查的项目。

6.2.10 干式柜所使用的钢丝绳宜按现行国家标准《起重机 钢丝绳 保养、维护、安装、检验和报废》GB/T 5972的有关规定进行保养、维护、检验和报废。

6.2.11 运行及维护人员应化验分析稀油柜密封油闪点和黏度，当密封油的开口闪点低于60℃或黏度低于规定值时应采取措施使其恢复到正常水平。

6.2.12 多边形柜和圆筒形柜的活塞防回转装置二侧间隙之和分别超过8mm和12mm时，应更换对应的防回转装置滑块。

6.2.13 运行及维护时，应检查稀油柜密封油油路系统是否存在结冰或堵塞现象。

6.2.14 新建膜密封柜在运行3个月至6个月后宜停柜对活塞密封系统构件进行全面检查。

6.2.15 膜密封柜活塞落地失压后，恢复运行前宜进行一次活塞全行程运行操作。

7 检 修

7.0.1 检修准备工作应包含下列内容：

1 检修单位应对检修人员进行安全技术教育及交底，告知危险源，交代安全通道及紧急救护设施的布置位置；

2 应办理工作票及动火许可证。

7.0.2 检修作业中应执行下列规定：

1 柜内检修作业应2人以上同行，携带便携式煤气浓度检测仪、氧含量检测仪并有专人监护；

2 恶劣天气不得进行柜体外侧检修作业；

3 危及人身安全的情况发生时，应停止作业。

7.0.3 干式柜中修期限和修理内容应根据所储存煤气的成分、使用频度以及周围环境决定，宜在3a～5a范围内选取，大修周期宜根据中修的结果确定。

7.0.4 检修作业应符合下列要求：

1 检修作业开始前，应对人员通行区域的油污进行彻底清洗或采取可靠的防滑措施；动火作业开始前，应清除动火作业范围内的可燃物或采取可靠的保护措施；

2 带煤气的动火作业应在煤气防护人员的监护下进行；

3 带煤气的焊接作业应采用电弧焊；

4 检修柜顶设施时，应将全部工具、零部件进行可靠固定；

5 检修稀油柜活塞上部导轮的作业人员应佩戴安全带，使用可靠的悬挂平台操作，工具应可靠固定；

6 冬季检修时，应采取防止底部油沟和活塞油沟结冻的措施；

7 在膜密封柜橡胶膜与侧板连接处及其以上高度的筒体外

壳进行动火作业时，应采取可靠的安全措施；

8 对膜密封柜活塞进行旋转调整作业时，所有连接件的焊缝应达到设计强度，所使用的手拉葫芦、花篮螺栓等机具应具备合格证书并在使用前检查合格。施工机具、钢丝绳受力后，施工人员不得在作业半径内停留。

7.0.5 稀油柜工作压力的调整，应符合下列要求：

1 调整后的工作压力不应超过原设计的工作压力；

2 活塞油沟的密封油高度应满足工作压力调整后的需要。

7.0.6 检修后调试和验收应符合本规范第 5.3 节和第 5.4 节的规定。

8 安全与防护

8.0.1 干式柜发生事故后,处理方法和步骤应执行国家相关法律法规和现行国家标准《工业企业煤气安全规程》GB 6222 的有关规定。

8.0.2 活塞结构件或密封装置发生煤气大量泄漏时,不得进入干式柜内,干式柜应停止运行。

8.0.3 干式柜人孔、管道阀门、法兰连接处等密封部位发生煤气着火时,宜采用干粉灭火器、消火栓和堵泥等方法灭火。

8.0.4 油泵站(房)密封油着火,应停止油泵运行,关闭进出油泵站的油管路阀门,切断油泵房电源,采用干粉灭火器或沙子等灭火。

8.0.5 干式柜内冷凝水从柜基础四周向外渗漏时,应实施临时封堵。

8.0.6 基础不均匀沉降量超过设计允许值时,应提高运行参数的监控频率。当不能保证安全运行时,干式柜应停止运行。

8.0.7 干式柜发生活塞冲顶或活塞落底事故时应停止运行。

8.0.8 稀油柜活塞密封装置或筒体大量泄漏密封油时,稀油柜应停止运行。

8.0.9 橡胶密封膜发生破损时,膜密封柜应停止运行。

本规范用词说明

1 为便于在执行本规范条文时区别对待，对要求严格程度不同的用词说明如下：

1)表示很严格，非这样做不可的：

正面词采用“必须”，反面词采用“严禁”；

2)表示严格，在正常情况下均应这样做的：

正面词采用“应”，反面词采用“不应”或“不得”；

3)表示允许稍有选择，在条件许可时首先应这样做的：

正面词采用“宜”，反面词采用“不宜”；

4)表示有选择，在一定条件下可以这样做的，采用“可”。

2 条文中指明应按其他有关标准执行的写法为：“应符合……的规定”或“应按……执行”。

引用标准名录

《建筑设计防火规范》GB 50016
《建筑照明设计标准》GB 50034
《供配电系统设计规范》GB 50052
《建筑物防雷设计规范》GB 50057
《火灾自动报警系统设计规范》GB 50116
《建筑灭火器配置设计规范》GB 50140
《钢铁冶金企业设计防火规范》GB 50414
《固定式钢梯及平台安全要求　第1部分:钢直梯》GB 4053.1
《固定式钢梯及平台安全要求　第2部分:钢斜梯》GB 4053.2
《固定式钢梯及平台安全要求　第3部分:工业防护栏杆及钢平台》GB 4053.3
《起重机　钢丝绳　保养、维护、安装、检验和报废》GB/T 5972
《工业企业煤气安全规程》GB 6222
《电梯制造与安装安全规范》GB 7588
《缺氧危险作业安全规程》GB 8958
《用能单位能源计量器具配备和管理通则》GB 17167
《施工现场临时用电安全技术规范》JGJ 46
《航空障碍灯》MH/T 6012
《民用机场飞行区技术标准》MH 5001

中华人民共和国国家标准

工业企业干式煤气柜安全技术规范

GB 51066 - 2014

条 文 说 明

制 订 说 明

《工业企业干式煤气柜安全技术规范》GB 51066—2014，经住房城乡建设部2014年12月2日以第661号公告批准发布。

本规范制订过程中，编制组进行了广泛的调查研究，总结了我国工业企业干式煤气柜工程建设和运行管理的实践经验，同时参考了国外干式煤气柜的安全建议书。

为便于广大设计、施工、生产、科研、学校等单位有关人员在使用本规范时能正确理解和执行条文规定，《工业企业干式煤气柜安全技术规范》编制组按章、节、条顺序编制了本规范的条文说明，对条文规定的目的、依据以及执行中需注意的有关事项进行了说明，并对本规范中的强制性条文的强制性理由作了解释。但是，本条文说明不具备与规范正文同等的法律效力，仅供使用者作为理解和把握规范规定的参考。

目　　次

1　总　　则 …………………………………………………… (39)
3　基本规定 …………………………………………………… (41)
4　设　　计 …………………………………………………… (45)
4.1　柜址选择和防火防爆要求 ……………………………… (45)
4.2　有效容积的确定 ………………………………………… (48)
4.3　柜体基础 ………………………………………………… (49)
4.4　柜体钢结构 ……………………………………………… (49)
4.5　柜体工艺配置的其他要求 ……………………………… (50)
5　施工和验收 …………………………………………………… (53)
5.1　一般规定 ………………………………………………… (53)
5.2　施工 ……………………………………………………… (53)
5.3　调试 ……………………………………………………… (55)
5.4　验收项目 ………………………………………………… (55)
6　运行与维护 …………………………………………………… (57)
6.1　运行 ……………………………………………………… (57)
6.2　维护 ……………………………………………………… (59)
7　检　　修 …………………………………………………… (61)

1 总 则

1.0.2 本条规定了本规范的适用范围。

干式柜是一种常温、低压、大型的现场焊接的特殊设备，用于平抑煤气发生和消耗的短期不平衡，故属一种常压的可变容积的可燃气体储罐（目前城市煤气行业称储气罐或储气柜，也称贮气罐），单座容积从数百立方米至数十万立方米。为区别于容积不变的钢制常压容器，突出其储存介质的易燃易爆性质和实际储气容积随活塞位置高度可变的设备特征，本规范沿用其习惯称谓——煤气柜。干式柜的储气压力是由结构的自重产生的，故生产过程中耗用能量极少，在工业企业煤气输配和利用领域及天然气利用方面，干式柜是一种节能环保设备。

从储存介质的特性来讲，工业企业干式柜储存的是多组分具有危化品特征的可燃混合气体，人工煤气还存在一氧化碳中毒这一职业危害，常见的人工煤气和天然气成分典型组成见表1。

表1 常见的人工煤气和天然气成分典型组成（体积%）

储存介质	CH_4	H_2	CO	C_mH_n	C_3H_8	C_4H_{10}	CO_2	N_2	O_2
烟煤发生炉煤气	3	14	27				5	51	
无烟煤发生炉煤气	1	15	24				6	54	
水煤气	1.2	52	34.4				8.2	4	0.2
半水煤气	~0.4	36~37	32~35				6~9	21~22	0.2
高炉煤气	0.5	1.5	25.5				14.5	58	
焦炉煤气	25.5	59	6	2.2			2.9	4	0.4
转炉煤气		1.5	59				18.5	20.6	0.4
COREX煤气	1.68	17.72	45.23				33.17	2.2	
铁合金煤气	0.2	0.68~3.25	55~65				15~19	19.8~32.2	0.3~1.5
天然气	98			0.4	0.3	0.3		1	
煤层气	~90								
矿井气	52.4						4.6	36	7

煤气柜按密封方式分为湿式煤气柜和干式煤气柜，湿式煤气柜采用水密封，存在基础荷载大、储气压力低且波动大、腐蚀严重、煤气增湿、自动化水平低和环境友好性差等缺点，已逐渐被具有活塞密封结构的干式柜所取代。20 世纪的干式柜按活塞密封方法主要分为：采用润滑脂（或称干油）和橡胶密封的可隆（KLONNE）型干式柜、采用稀油和钢滑板密封的多边形柜以及采用橡胶膜密封的膜密封柜。可隆型干式柜虽然有储气压力较高、活塞速度快的优点，但密封性能不好，因此自 20 世纪 80 年代引进两座 150000m^3 可隆型柜后国内未推广使用。20 世纪末出现了集可隆型柜储气压力高和多边形柜稀油密封性能好的优点于一身的新型干式柜——圆筒形稀油密封煤气柜（俗称新型柜或 POC 型柜，以下简称圆筒形柜），密封方法采用稀油和橡胶条的密封形式，近十年来我国已建设 40 多座圆筒形柜，总储气容积超过 60000000m^3。

本规范主要针对工业企业内多边形柜、圆筒形柜和膜密封柜这三种干式柜进行编写。在适应场所和储存介质方面，本规范与《工业企业煤气安全规程》GB 6222 的适用范围协调一致。由于国内新建成的干式柜设计工作压力已高达 15kPa，实际运行压力达到 14kPa；已建成的有效容积为 300000m^3 的干式柜也已超过二十座，本规范将干式柜工作压力适用范围定为小于 20kPa（表压），将有效容积适用范围定为不大于 600000m^3，以适应这种设备大型化和高压化的发展需要。

本规范涉及不同柜型的条文一般按干式柜、稀油柜（多边形柜和圆筒形柜）、膜密封柜的顺序编排，但第 3 章和第 5.2 节的条文顺序主要按建设步骤编排。

3 基本规定

3.0.1 《室外给水排水和燃气热力工程抗震设计规范》GB 50032—2003 第1.0.7条和第1.0.8条对室外燃气储气罐的抗震设计提出了要求，鉴于干式柜和湿式柜的危险性大致相同，发生事故时引起次生灾害的危险性也基本相同，故本规范参考该规范提出了干式柜的抗震设计要求。

3.0.2 《工业企业煤气安全规程》GB 6222—2005 第10.1.2条规定"吹扫或置换煤气设施内部的煤气，应用蒸汽、氮气或烟气为置换介质"。考虑到蒸汽容易造成负压，而烟气的定义比较模糊，而从广义上来讲，高炉煤气和转炉煤气均属烟气，故作出本条规定。

3.0.3 本条为强制性条文，必须严格执行。内部吊笼在防爆1区，必须采用防爆型，外部电梯井道一般利用柜体作为支撑，与稀油柜柜体距离较近，机房通常在侧板外3m范围以内，产品成熟且投资增加也不多，国内习惯上也采用防爆型，故统一规定必须采用防爆型设备。

3.0.4 外部电梯目前应按现行特种设备规范《电梯使用管理与维护保养规则》TSG T5001—2009 和防爆规范进行管理和维护；由于现在内部吊笼尚未纳入国家质监部门的监察范围，故在现阶段，规定干式柜内部吊笼由使用单位严格按生产厂家的使用维护说明书进行管理和维护。

3.0.5 干式柜区域应严禁无燃气专业知识的外人（尤其是小孩、残障人等）进入，防止发生意外事故。无论干式柜区域有人操作或无人操作，进入干式柜区域的人员必须取得干式柜管理部门的许可并登记备查。

围墙分为实体围墙和栅栏围墙，当干式柜建设场所临近海洋、河流、湖泊、山崖时，临近侧可以不设围墙，但要采取相应措施防止缺乏煤气知识的人员靠近干式柜。当干式柜毗邻农田、树林和厂区外道路等民用区域时，为防止小动物等进入柜区，宜采用实体围墙与外部环境隔离。

3.0.6 从事危化品作业与储存的职工应身体健康，配备2名值班人员有利于相互救助。

3.0.7 为调试和巡检方便，一般在现场设控制和监视干式柜的控制室（含电气室）。

3.0.8 干式柜运行维护岗位的危险性大，可能接触易燃易爆或有毒的危化品，必须提供本条规定的特殊的劳动保护用品和巡检工具。应根据储存介质成分来选择是配有毒气体浓度检测仪还是可燃气体浓度检测仪，本规范中的有毒或可燃气体浓度测定仪（装置）简称为煤气浓度测定仪（装置）。配备有毒气体检测仪后一般可不配可燃气体浓度检测仪。

3.0.9 本条为强制性条文，必须严格执行。干式柜内部活塞上通风条件较差、逃生不易，为保证操作人员的人身安全，参考《城镇燃气设计规范》GB 50028—2006 第3.2.3条的规定和国家对煤气行业的要求，作出本条规定。

3.0.10 干式柜活塞与柜顶之间的空间通风条件较差，一旦燃气泄漏则可能达到爆炸限，遇火花即会爆炸。本条规定是参考《Low-pressure gasholders storing lighter-than-air gases》IGE/SR/4(1996)第7.1.3条规定："在危险的环境中，便携独立电气设备，例如无线电话，手电等，只有在证明安全时才可以使用"而作出的。

3.0.11 为防止车辆或火车撞坏干式柜、保证疏散方便和防火，《煤气柜安全建议书》IGE/SR/4(1973)第4.1.1条和《Low-pressure gasholders storing lighter-than-air gases》IGE/SR/4(1996)第5.1.3条和第6.1.2条均要求："干式柜周围6m范围内不应有障碍物、腐蚀性物质和易燃物"。

3.0.12 在干式柜工作状态下，干式柜附近的动火作业应受到严格控制，参考《工业企业煤气安全规程》GB 6222—2005 第 10.1.2 条作出本条规定。

3.0.13 干式柜施工中有不少重要工序或施工节点的安全性应引起参建各方的重视，例如稀油柜浮升操作、柜顶固定和活塞落底、膜密封柜吊装柜顶、涂装等作业均为露天高处作业；又如，稀油柜调试过程大致分为：收尾检查、活塞与底板等区间清扫、设备单机试车、柜体注水注油、油泵站联动调试、活塞调平、侧板挂油、活塞全行程升降试验、柜体严密性试验、活塞快降试验、干式柜联动试验等步骤顺序进行，每个阶段的安全措施和应急措施都有所差异。

煤气设施的检修属特殊作业，不少煤气柜发生事故都是在检修时违章操作或疏忽大意所致。我国现阶段许多干式柜的检修单位为钢结构制作或工业设备安装单位，缺乏煤气设施检修方面的安全防护知识、配套装备和相应的技能。检修前应对柜区实地考察、熟悉柜体各部位的安全通道、柜体及活塞的工作状态、工艺附属设施的运行状况及煤气管路系统的布置等。应根据设计施工图、竣工图、调试及运行指导书和干式柜运行记录等编制检修安全技术方案及检修安全应急预案。

3.0.14 干式柜活塞下部为封闭储存燃气的空间，在吹扫置换时打开的人孔和放散管无法覆盖整个圆周，通风条件很差，结合维护和检修操作实践作出本条规定。

本条第 1 款为强制性条款，必须严格执行。切断煤气和氮气、蒸汽等可能引起中毒、窒息和烫伤等意外事故的气体是检修安全所必需的，其中煤气还要求可靠切断。当然，如果冬天检修需要蒸汽，则蒸汽管不能切断，但应做到一旦不用蒸汽立即切断。

干式柜底板上积灰厚时，应先将灰尘中的煤气除去，例如：膜密封柜底板上的灰尘通常用水冲洗，将灰尘中的煤气挤出。

3.0.15 本条为强制性条文，必须严格执行。活塞下部负压会导致柜体密封煤气的钢板吸瘪，活塞密封装置无法正常工作，甚至焊缝拉裂造成煤气泄漏。在干式柜施工、调试、运行和检修等每个阶段，都应防止活塞下部出现负压，例如：浮升施工中，风机停机后由于昼夜温差变化可能形成柜内负压；联锁失效可能导致加压机将干式柜内抽为负压；干式柜停产检修期间，放散管和人孔全部关闭，温差变化形成负压等。

4 设 计

4.1 柜址选择和防火防爆要求

4.1.2 根据《钢铁冶金企业防火设计规范》GB 50414—2007 等现行国家标准规范和行业实践，制定本条。

本规范所指的干式柜都是低压的可变容积的干式可燃气体储罐，是一种露天的高耸现场特殊设备。《建筑设计防火规范》GB 50016—2014 和《钢铁冶金企业防火设计规范》GB 50414—2007 的有关规定中，均没有明确对可变容积的煤气柜这种大型现场设备的容积的确定方法。一般干式柜活塞高度达到活塞行程的 90%时报警，达到 95%时为保证干式柜本体的安全自动切断煤气进口阀门，达到 100%（即达到额定的有效容积）时稀油柜的紧急放散管或膜密封柜的自动放散管自动放散煤气。由于煤气不点燃放散浪费能源且污染环境，因此干式柜活塞位置达到 100%行程时属放散煤气的事故状态，在正常操作情况下是不允许的，这是干式柜与球罐等其他可燃气体储罐的一大区别。为避免气温变化时活塞位置达到 100%行程放散煤气和适应煤气系统的产销波动，干式柜正常操作时所储存的煤气体积量约为有效容积的 30%～70%。在煤气系统或干式柜出现故障切断煤气进出口阀门时，以柜内所储气体容积为有效容积的 70%计，考虑在运行压力最大达到 20kPa 的情况下，以最大死空间比例为 10%计，在标准大气压的地区参考《建筑设计防火规范》GB 50016—2014 固定容积储罐总容积的计算原则计算出的总柜容为有效容积的 70%×(1.01325+0.2)×(1+10%)=0.934 倍；考虑活塞在 80%的行程高度上时，按此方法计算出的总柜容为有效容积的 80%×(1.01325+0.2)×(1+10%)=1.068 倍，这是大气压力、工作压力和死空间均为最不利的情况下的理想计算结果。可见，一般情况下活塞在80%行程切断煤气时，柜内所储煤气体积量是不会超过干式柜的有效容积的。因此统一以有效容积作为确定干式柜消防间距的总柜容在工程上是可以接受的。从使用方面来讲，定义有效容积对应《建筑设计防火规范》GB 50016—2014中干式柜的总容积，有利于不同专业的设计人员执行《建筑设计防火规范》GB 50016—2014，有效容积直接对应干式柜的缓冲或吞吐能力，便于用户理解和选用，对安全、消防等验收来讲，省去了压力校正和死空间等烦琐的计算，利于防止变相扩大建设规模，便于相关部门核实验收。因此，考虑到干式柜不同于具有固定容积的储气压力较高的可燃气体储罐，以及设计和使用方便，本规范将干式柜的有效容积作为干式柜确定防火间距的总柜容。

干式柜与建筑物，可燃液体储罐，堆场和室外变、配电站等之间的防火间距：本规范与《钢铁冶金企业设计防火规范》GB 50414—2007中第4.2.4条的规定一致并参考国外规范，规定了有效容积不超过300000m^3的干式柜与建筑物，可燃液体储罐，堆场和室外变、配电站等建筑物的防火间距，并补充了有效容积超过300000m^3到不超过600000m^2的干式柜与这些设施的防火间距，这与《建筑设计防火规范》GB 50016—2014的规定不一致。日本规范中煤气柜与锅炉、加热炉、燃烧炉、焚烧炉、吸烟室等烟火设施的间距要求保持8m以上的距离，并在这些烟火设施附近设置煤气泄漏检测报警装置，在检测到煤气泄漏时，应能够立刻通过联动装置扑灭这些设施的烟火。故日本设计通常将煤气柜控制室（国外也叫电气室）与煤气柜的间距定为10m。考虑到我国的具体情况，已建成的十几座有效容积为300000m^3的干式柜与一、二级耐火等级的工业建筑（如干式柜区控制室）的防火间距为25m或25m的1.25倍。故本规范将25m作为有效容积为300000m^3的大型干式柜与一、二级耐火等级的建筑物的基本安全间距，以节省土地资源；而对于民用建筑或三级、四级耐火等级的工业建筑，则要求较严。

厂区内无人值守的建筑物，一方面降低了建筑物人为火灾的发生率，另一方面干式柜火灾或少许泄漏不会造成工作人员伤亡，故规定当一、二级耐火等级的厂区建筑物无人值守时，可以不考虑可燃气体密度的影响。

煤气的相对密度=煤气密度/空气密度，相对密度大于0.75则为比空气重，否则为比空气轻。

《建筑设计防火规范》GB 50016—2014 第3.4.6条规定："用不燃烧材料制作的室外设备，可按一、二级耐火等级建筑确定"，而在《城镇燃气设计规范》GB 50028—2006 第6.5.3条强制性规定："露天燃气工艺装置与储气罐的间距按工艺要求确定"。可见，城镇燃气行业中的干式柜一般设在一个储配站区内且封闭管理、燃气密度轻于空气，此时露天燃气工艺装置与干式柜的间距可以较小。而在工业企业干式柜柜区内，干式柜也经常与其他室外燃气工艺设备(如电捕焦油器、电除尘器和加压机等)一起布置，以便于统一管理，未经允许的人员也不能进入干式柜区域，故防火间距可以参考《城镇燃气设计规范》GB 50028—2006 的规定。本规范确定与干式柜配套运行的电捕焦油器、电除尘器和加压机等露天燃气工艺设备与该干式柜的间距不小于6m，这也与本规范第3.0.12条的规定相协调，但妨碍干式柜消防的大型不可燃气体储罐则应留出消防人员的操作空间。

参考本规范第3.0.12条之规定，确定干式柜与不可燃气体储罐间距离不小于6m，以保障消防、疏散和通风良好的需要。

本条第5款直接引用《钢铁冶金企业设计防火规范》GB 50414—2007 第4.2.5条的规定。

在采用栅栏围墙时，消防车道和消火栓可以利用围墙外公路布置，消防水带可以穿过栅栏围墙进行灭火。实践上，某钢铁公司引进的2座150000 m^3 可隆型高炉煤气柜和1座120000 m^3 多边形焦炉煤气柜在一个煤气柜区域内并排布置，所采用的围墙就为栅栏式，已安全运行二十多年；2007 年 2 月投产的该公司 300000 m^3 焦炉煤气柜和 2007 年 10 月建成的 300000 m^3COREX 煤气柜均采用栅栏围墙，其 300000 m^3 焦炉煤气柜为高/焦炉煤气二用柜，柜体侧板与柜区栅栏围墙的最近间距为 11.2m，与栅栏外的消防公路的最近间距为 12.9m；栅栏围墙与外部电梯机房的最近间距为 4.4m。因此，参考《煤气柜安全建议书》IGE/SR/4（1973）第 3.1.2 条和《建筑设计防火规范》GB 50016—2014 第 3.4.12 条的规定：厂区围墙与厂内建筑之间的间距不宜小于 5m，作出本款规定。

4.1.3 本条根据干式柜的具体特点规定了消防水设计原则。

工业企业中经常有生产水和消防水管网合并的情况，本条明确干式柜消防水可采用生产消防给水管网供给。

曾经有一些单位在干式柜上采用了固定式喷水冷却灭火系统。2006 年，某钢铁公司 2 号焦炉煤气柜和 COREX 煤气柜同时开始建设，这两座干式柜均为圆筒形稀油密封煤气柜，有效容积均为 300000 m^3。设计单位请示“可否不设固定喷淋水冷却灭火系统?”，当地消防部门批示同意。因此，本规范规定干式柜不宜设固定式冷却灭火系统。

干式柜柜区的消防水量一般以最大的 1 座干式柜消防水量为准，即可满足柜区内其他设施的消防水量要求。

4.1.5 干式柜柜区内栽种不含油脂性植物的植物，可防止火情扩大化。

4.1.6 本条为强制性条文，必须严格执行。干式柜柜体的防爆分区必须执行《爆炸危险环境电力装置设计规范》GB 50058 的规定，在《钢铁冶金企业设计防火规范》GB 50414—2007 附录 C 中对煤气柜防爆分区也有具体规定。

4.2 有效容积的确定

4.2.1、4.2.2 干式柜的有效容积计算应考虑相关的安全容量，经常选用的干式柜有效容积系列见表 2,但干式柜有效容积和直径的对应关系可能随设计而异。

表 2 三种干式柜的常用有效容积系列

柜型	多边形柜		圆筒形柜		膜密封柜	
	有效容积（m^3）	侧板内侧直径（mm）	有效容积（m^3）	侧板内壁直径（mm）	有效容积（m^3）	侧板内侧直径（mm）
	20000	26514	20000	—	10000	26960
	30000	33976	30000	—	20000	—
	50000	37251	50000	—	30000	38200
	70000	39122	70000	—	50000	47746
	100000	44747	100000	46900	80000	58000
	120000	44747	120000	46900	100000	58000
	150000	53629	150000	51200	120000	61800
	165000	53629	165000	51200	150000	66800
	200000	58073	200000	56524	—	—
	300000	67603	300000	64600	—	—
	400000	73206	400000	—	—	—

4.3 柜体基础

4.3.2 为防止柜体钢结构受涝腐蚀,干式柜基础上表面应高出柜区地坪 300mm 以上。

4.4 柜体钢结构

4.4.1 干式柜是一种露天的大型现场设备,在其施工过程中,采用了许多特殊安装方法和特殊工装,导致部分柜体钢结构的施工荷载超过正常运行荷载。如稀油柜采用浮升法施工,柜顶的施工荷载可能超过正常运行时的柜顶荷载;稀油柜活塞桁架在施工和正常生产时的受力状态不一样;膜密封柜柜顶吊装产生的施工荷载和正常运行工况不一样等。设计时必须充分考虑施工荷载,才能保证干式柜建设过程中的安全。

4.4.3 曾经有使用单位提出干式柜的回廊平台采用格栅板，目的是雪易漏下且防滑。本规范认为采用格栅板时发生高空坠物（如螺帽等）撞击产生火花的概率大幅提高，且对筒体的整体刚度不利，故在干式柜柜体上不推荐采用格栅板。

4.5 柜体工艺配置的其他要求

4.5.1 本条从有利于维护和人员尽快撤离煤气柜的角度，提出了柜体通行和疏散设计的安全要求。当稀油柜内部吊笼因停电或设备故障等原因停运时，应用紧急救助装置救援活塞上的人员。

4.5.2 本条对导轮、防回转装置、调平装置等活塞走行系统设施设计作出了规定。

稀油柜一般采用在活塞阳面布置弹簧导轮的方法来适应筒体的温差变形，使柜体活塞适应筒体的阴晴和昼夜温差变化。

本条第4款为强制性条款，必须严格执行。稀油柜活塞导轮受力位置对应活塞和筒体立柱部位，一旦活塞旋转后导轮压在筒体侧板部位将致筒体损坏和密封失效，因此活塞相对于筒体的水平旋转量必须控制。防回转装置安装在活塞上，按《钢铁冶金企业设计防火规范》GB 50414—2007规定此处为防爆1区，故应采取措施防止运行中产生火花。

膜密封柜的活塞限位导轮平常不与筒体接触，在活塞偏心严重时起限位作用，此时限位导轮与筒体撞击。通常上部限位导轮与空气接触，为防止火花，导轮外表面材料一般采用氯丁橡胶；下部限位导轮与煤气接触，而且有可能撞击橡胶膜，故导轮外表面材料一般采用丁腈橡胶。

为保证膜密封柜活塞的安全运行并防止钢绳或其连接部位失效导致调平装置的配重脱落伤人，应设导轨引导配重升降。

4.5.3 活塞密封装置是干式柜的核心设备，设计上应采取有效措施保护密封装置，本条提出了原则性的要求。

4.5.4 稀油柜设有密封油系统,目的是自动向活塞密封装置提供合格的密封油,保证活塞密封安全。

某公司 120000m^3 多边形柜直径约 45m,配置 4 个油泵站和 4 个预备油箱,每个油泵站最长运转时间以 5h 计,每个泵流量约 26L/min,每个预备油箱储油量约为 2.17m^3,故预备油箱可供油时间为 6.68h;而直径约 58m 的 200000m^3 多边形柜也配置 4 个油泵站,预备油箱储油量与 120000m^3 多边形柜相同,此时预备油箱可供油时间为 5.2h。考虑到与不同有效容积的柜容对应的油泵站个数的适应性,统一规定预备油箱储油量宜满足停电 5h 活塞密封安全的需要。如果部分干式柜建成后油泵站运转时间过长,预备油箱储油量达不到停电 5h 的要求时,则宜采取加强监控和维护力度、完善停电应急预案,甚至采取设置备用电源等措施,保证停电时干式柜运行安全。

4.5.5 对于煤气输配管网规模较大、煤气用户较多的企业,为防止稀油柜活塞冲顶,一般在高炉煤气柜和焦炉煤气柜柜体上设安全放散管,将生产异常时的柜内过剩煤气引至高空放散;而在城市煤气行业,有些稀油柜未设安全放散管,故安全放散管的配置应由设计者根据干式柜的功能和管网规模确定。

4.5.6 本条针对干式柜加热、通风和自然采光设计制定。

焦炉煤气中的轻馏分溶入密封油中会导致黏度和闪点下降,降低干式柜的安全性。此时可采用对底部油沟密封油加热的方法使轻馏分逸出,改善密封油品质,延长其使用寿命。

干式柜外部电梯井道设采光窗不仅有利于维护工作和停电时外部电梯轿厢内被困人员逃生,而且采光窗还可兼作外部电梯机房和井道的泄爆区。

4.5.7 停电会对干式柜产生很大影响,主要表现为柜位失控、稀油柜外部电梯和内部吊笼停运、油泵站停运等,稀油柜的预备油箱一般仅能维持停电 5h 左右活塞密封的需要。在大多数工业企业中,提供二路电源并不算太困难;许多工业企业内干式柜区域还配有加压机，因此参考《工业企业煤气安全规程》GB 6222—2005 第8.2.7 条的规定推荐采用二路电源，即《供配电系统设计规范》GB 50052—2009 中的“一级负荷”。本规定比《城镇燃气设计规范》GB 50028—2006 第 6.5.20 条强制性规定的储配站区域的供电系统设计不低于二级负荷稍严。

4.5.8 本条是总结多年来干式柜检测和控制方面设计和操作中的实践经验而制定的。

在活塞卡住的情况下，干式柜的工作压力波动较大，及时报警和联锁有利于防止事故进一步扩大。

煤气的生产调度人员必须了解柜位才能进行科学的生产调度，因此规定采用 2 套柜位计。机械式柜位计在停电时仍可用机械指示盘显示柜容，便于操作和维护人员停电应急操作，故规定其中 1 套为机械式柜位计。目前的电子式柜位计有雷达、激光和光纤等多种形式的料位计，但停电则无法工作。

稀油柜油泵站房为防爆 2 区，通风条件较差，且人员一般每天会到油泵站房内巡检，故应设固定式煤气浓度检测装置。南方地区不少油泵站采用户外型钢质箱式结构，通风条件较好，此种情况则油泵站箱体电气设计按防爆 2 区设计即可，可不设煤气浓度在线检测装置。

煤气进出口管地下室是含煤气阀门、水封、进出口管与底板的接口等的附属建构筑物，通风不畅，容易发生爆炸或中毒事故。

4.5.9 《电梯制造与安装安全规范》GB 7588—2003 中规定电梯应设紧急报警装置，干式柜外部防爆电梯通常设报警电话作为紧急报警装置，其设计、施工、验收和维护均应符合该规范的规定。

4.5.10 本条针对干式柜工程节能减排设计而制定。干式柜工程应符合国家产业政策，选用具有节能认证或符合现行国家节能环保政策、法规要求的产品。

干式柜正常生产时有煤气冷凝水排出，稀油柜煤气冷凝水中可能还含有油，需达到环保标准才能排放。

5 施工和验收

5.1 一般规定

5.1.2、5.1.3 干式柜的施工建设，必须防止如坍塌、滑坡、高处坠落、机械事故、物体打击等各类安全事故。干式柜安全施工作业涉及的工种较多，有关施工安全的范畴亦相当广泛。根据我国现阶段工程实践，提出了原则性要求。

干式柜施工过程中，攀登、悬空等高处作业及交叉作业均存在事故隐患，而且还使用了侧板提升机、鸟形钩挂钩板及销钉、外部及内部操作平台和柜顶整体吊装设备等特殊工装，相应的安全技术措施应在施工组织设计中明确。

5.2 施 工

5.2.2 本条为强制性条文，必须严格执行。露天构件吊装、浮升操作、柜顶固定和活塞落底、膜密封柜吊装柜顶等干式柜施工危险性较大的步骤均为露天高处作业，在气候条件恶劣，特别是柜顶人员不能清楚地看清地面人员时应停止施工。雷雨天，高处施工人员容易遭雷击；因干式柜的施工情况，浮升高度可能已经大于100m，因此，雪天和浓雾天气的判断是指侧板提升机的操作人员于柜顶位置的能见度必须清楚地看清地面情况为标准。《建筑机械使用安全技术规程》JGJ 33—2001 第 4.1.7 条规定："在露天有六级及以上大风或大雨、大雪、大雾等恶劣天气时，应停止起重吊装作业"。实际操作时，吊装高度处的风级可能已经超过六级，这就要求各级施工人员应充分认识其危险性。

5.2.4 本条根据干式柜结构特点和施工特点规定了施工期间建

筑灭火器的设置地点。

5.2.5 本条对柜顶中央台架的架设和拆除进行了具体规定，本条第3款为强制性条款，必须严格执行。

中央台架是稀油柜柜顶施工必需的工装，其安全性能必须得到保证，后续施工的精度和安全性才有可靠保障。中心台架施工安全隐患也存在于台架安装后的柜顶安装过程，特别是大型柜、大跨度柜顶安装过程中。柜顶桁架采用散装法安装时，如不及时进行固定焊接，未形成柜顶平面内的整体结构，易发生失稳事故。

5.2.7 超重、超大构件主要指超过拟用的工装设备能力的部件，如外部电梯滑轮间、伸到柜中心的安全放散管、大尺寸的柜顶桁架和径向梁等。

5.2.9 侧板提升机、外部悬挂操作平台、鸟形钩系统和柜顶整体吊装设备等危险性较大的特殊工装可在不同干式柜上重复使用，为保证安全使用和拆除作出本条规定。

稀油柜浮升安装使用的侧板提升机必须设吊钩高位、副杆转动限位器等安全设施，外部悬挂操作平台应设栏杆、疏散通道等安全设施，以保证施工安全。侧板提升机和外部悬挂操作平台应严格按操作规程进行操作，防止柜体产生较大变形甚至破坏和威胁施工人员的人身安全。

稀油柜鸟形钩和挂钩板承担着将活塞和柜顶重量传递到立柱上的任务，其安全性必须得到保证。浮升荷载包括柜顶和活塞质量及施工荷载，为防止荷载分布不均匀，规定了鸟形钩、挂钩板及销钉的设计和使用要求。稀油柜浮升安装作业中，鸟形钩的挂钩操作需要统一指挥、协调动作，以使鸟形钩传来的柜顶和活塞的重量较均匀地传到立柱上，为保证安全，应确认鸟形钩全部受力后才可停止风机。销钉螺栓的检查应在每次浮升后和每日工作结束前进行。

浮升水泵一般应安装2台，每台的能力均应满足浮升施工的需要。

5.2.11 为防止柜体涂装中上下层作业面交叉施工引发事故，规定涂装作业与动火作业应采取隔离措施，隔离措施可根据干式柜直径和风向错开一定角度进行。

5.3 调 试

5.3.2 密封油属丙类可燃液体，膜密封柜的密封膜属可燃品，故作出本条规定。

5.3.3 稀油柜紧急放散试验将导致活塞油沟密封油喷出柜外，污染环境。膜密封柜自动放散系统应灵活有效，关闭时的密封性能需要调试确认。

5.3.4 初次充气活塞上升时，活塞密封装置和活塞走行系统的性能尚未确认，活塞质量很大，易产生事故，故活塞运行速度应低些。考虑到活塞速度测量精度受柜体振动和测量时间步长的选取等因素的影响，故规定活塞上升速度不宜超过0.2m/min。

膜密封柜活塞板与底板贴住，宜缓慢充气使气体有充分的时间进入活塞板与底板之间，防止密封膜受力过大。

5.3.5 本条针对干式柜检验的安全考核指标编制。参考了《工业企业煤气安全规程》GB 6222、《多边形稀油密封干式柜工程施工质量验收规范》CECS186:2005第8章和《橡胶膜密封干式柜工程施工质量验收规程》CECS 267:2009第9章的内容。

干式柜联动调试是采用空气进行的，柜体考核和验收的绝大部分指标都是在此状态下获得的。

5.3.6 干式柜严密性试验是对柜体质量的综合考核，干式柜投运后一旦停产维修，对正常生产影响很大且煤气放散量大、污染环境。参照《工业企业煤气安全规程》GB 6222—2005作出本条规定。

5.4 验收项目

5.4.2 干式柜的特殊设备中，外部电梯属特种设备，由当地质监部门验收;内部吊笼和紧急救助装置尚未纳入特种设备目录,但其安全性直接与巡检人员的生命息息相关,故统一归入特殊设备进行验收。

6 运行与维护

6.1 运 行

Ⅰ 送煤气操作

6.1.1 首次送煤气作业指干式柜调试合格后，使用单位开始置换柜内空气后的投运操作。

6.1.3 置换用介质管道与柜体通常用软管接，以防介质互窜。现在也有在两个阀中间加放空放散管的做法直连，故用宜。

6.1.4 保持干式柜内压力不低于500Pa是为了防止空气进入。稀油柜置换过程中应保持活塞油沟油位高度大于活塞下部气压，防止密封油吹到活塞板上。

Ⅱ 运行监控

6.1.9 干式柜运行记录存档有利于分析干式柜故障原因和总结运行经验。有人值守的干式柜，值班人员可以每小时记录干式柜的主要运行参数；无人值守的干式柜将一段时间内每小时的运行参数由计算机自动保存。

在严寒和寒冷地区稀油柜配置活塞油沟加热设备的情况下，尚需要监测活塞油沟的油温。

6.1.11 干式柜是为全厂煤气管网服务的，正常情况下阀门全开有利于稳定管网压力并保障煤气系统的安全性，譬如建有燃气轮机发电的煤气管网，管网压力波动要求严格，不宜调节煤气进出口管阀门开度。但在主管网压力波动要求不高的情况下，一旦活塞速度超过设计速度，可以关小阀门以保干式柜本体安全。

6.1.12 机械式柜位计有钢丝绳缠绕半径误差和钢丝绳伸长误差，故输出的柜位信号系统误差较大，但其机械式表盘显示的柜容具有直观、方便的优点，即使停电时操作人员也可观察到柜容。当机械式和电子式柜位计柜容显示数据相差较大时，应检查处理。在处理之前，应选用柜位最不利的柜位计信号参与阀门的联锁或报警，以保证干式柜运行安全。

由于有效容积的大小与底面积和柜位计测量的行程有关，相同柜容的稀油柜和膜密封柜的行程又不一样，故宜由设计者来确定两种柜位计的柜容读数偏差允许值。

6.1.13 本条为强制性条文，必须严格执行。稀油柜的安全放散管是为了防止柜内煤气温度升高体积膨胀或煤气进口阀故障等原因造成稀油柜活塞冲顶而设置的，一般设在干式柜边上，垂直上升到柜顶高空。安全放散管只在活塞将要冲顶时紧急放散煤气用，正常生产时是不允许使用的。膜密封柜的放散系统在活塞超过正常行程时，可机械动作自动放散柜内过剩煤气，但在正常生产时是不允许使用的。原因均在于煤气未燃烧放散、浪费能源且污染环境。

6.1.14 底部油沟液位观察镜一般采用有机玻璃，为防止玻璃破裂造成事故，规定在需要查看液位时打开阀门，查看完毕应关闭阀门。

Ⅲ 停煤气操作

6.1.17 停止干式柜运行时，活塞应缓慢落底，以减轻活塞支座所受的冲击力，达到保护干式柜的目的。由于活塞速度是由柜容计的读数演算得来的，其本身有读数误差，在活塞速度低于0.2m/min时误差可能较大，操作中可配合监视阀门开度等让活塞缓慢落底。

Ⅳ 特殊操作

6.1.21 适度的全行程运行操作有利于稀油柜侧板内侧防腐。

6.1.22 活塞升降频繁，柜内燃气更新速度快，使冰或霜易于被热燃气所软化从侧板内侧脱落。

6.1.23 当内部吊笼在活塞上或半空中而柜顶平台上操纵内部吊笼上下（外部操纵杆）的人员突然发生意外时，内部吊笼内人员可操纵吊笼内部上升装置(内部操纵杆)上升至柜顶平台进行自救。此机构一般情况下不用,但这是一项重要的安全设施。

6.1.24 稀油柜柜区停电时,煤气进出口阀门和油泵站停电,控制室的 UPS 一般可维持控制系统半小时工作,因此停电后的操作对防止活塞密封装置泄漏煤气、发生活塞冲顶或撞底等事故至关重要。本条第 1 款和第 3 款为强制性条款,必须严格执行。

预备油箱平常储有一定量的密封油,是专为停电时油泵站停运后人工打开预备油箱阀门保持活塞密封装置液位高度一段时间而设置的,此时应立即启用,防止密封装置停电后不久就泄漏煤气,为柜区恢复供电赢得时间。

预备油箱维持活塞油沟油位高度的时间应根据停电前油泵站的供油量来估算。根据恢复供电所需时间确定预备油箱油量是否足够来确定活塞是否应落底。如果预备油箱油量不能维持到来电,则活塞应落底以确保安全。

停电时除去预备油箱放油的操作人员外,其他人员应迅速从柜体撤离。如果有人受困,就应启动救助受困人员的特殊操作。如有人在活塞上,应立即用紧急救助吊袋进行救助;如有人在内部吊笼中,应通过手动盘车装置救助;如外部电梯内有乘员,应通过手动盘车将轿箱移至就近的井道安全门位置,乘员从安全门撤离。

6.1.25 稀油柜活塞冲顶后,如果活塞油沟油位高度足够,则可通过加大干式柜出口阀门开度甚至打开安全放散管阀门来降低柜位;如果活塞油位高度已不够或活塞上一氧化碳浓度已报警,则首先宜向活塞油沟注油,达到活塞油沟密封油位后再采取措施降低柜位。

6.2 维　　护

6.2.1 为防止人员上柜或进入活塞检查后停电等原因发生安全事故,此时巡检人员应迅速撤离现场,故要求保持疏散通道畅通。如外部走梯口设有门的干式柜,应将门锁打开。

6.2.8～6.2.9 这2条中的最后一款为其他需要检查的项目，内容包含电气、仪表方面的检查和需要较长时间才检查一次的项目，如基础沉降量、防雷接地电阻、涂漆和腐蚀方面的检查等。

膜密封柜的缺点之一是检修和维护困难。通常巡检人员只能定期检查柜内的上部限位导轮、倾斜量、调平装置和柜位计的钢丝绳系统等，而密封装置是难于由巡检人员维护的，故可只对站在走道上可以检查到的设施进行检查。

6.2.10 干式柜中的钢丝绳尚无专门的维护保养标准，鉴于干式柜上一般无人，钢丝绳多露天设置，对干式柜的安全运行具有重要作用，故推荐参考现行国家标准《起重机钢丝绳保养、维护、安装、检验和报废》GB/T 5972的规定进行管理和维护。

6.2.11 密封油开口闪点降到60℃以下时，密封油从丙类可燃液体变为乙类可燃液体，发生火灾的可能性增加。密封油黏度低于规定值时，油泵站启动次数过多，事故情况下维持活塞油沟密封油位高度的供油量安全系数太低，可能发生所有油泵全部启动仍然供油不足的事故。

6.2.12 稀油柜的防回转装置滑块是易损件，本条提出了更换标准。水平旋转量的测量方法同本规范表5.3.5。

6.2.14 膜密封柜活塞的T挡板和活塞支架是分区逐件安装在下部架台上的，由于体积大需调整安装尺寸，各支撑杆件受力不均。当活塞升降应力释放后，可调的支撑会出现受力和不受力状态，波纹板受力后也会出现固定螺丝松动现象等问题。因此，新建膜密封柜在运行3个月～6个月后宜停柜进行全面检查，重点检查波纹板紧固螺栓和由花篮螺栓及拉杆组成的垂直支撑受力状况，及时消除潜在隐患，保证煤气柜安全运行。

7 检修

7.0.1 干式柜检修过程中容易发生各类安全事故，如煤气中毒、火灾、爆炸等，为防止发生上述事故，作出本条规定。

7.0.3 中修和大修的检查宜包括表3的内容。

表3 柜体及附属设施的检查内容表

序号	检查内容		多边形柜	圆筒形柜	膜密封柜
1	柜体底板锈蚀度		√	√	√
2	底部油沟锈蚀度		√	√	—
3	柜体侧板锈蚀度		√	√	√
4	柜体回廊(抗风桁架)、斜梯和栏杆锈蚀度		√	√	√
5	柜顶板及柜顶桁架及其他结构锈蚀度		√	√	√
6	活塞板锈蚀度		√	√	√
7	活塞表面积油量		√	√	—
8	密封膜破损情况及不均匀延长量		—	—	√
9	密封装置	灵活、可靠性	√	√	—
		立柱滑块磨损度	√	√	—
		滑板或密封橡胶磨损度	√	√	—
		兜底帆布	√	√	—
		分隔堰帆布	√	√	—

续表 3

序号	检查内容		多边形柜	圆筒形柜	膜密封柜
10	密封油变质程度		√	√	—
11	活塞导轮及其轴承磨损程度		√	√	√
12	防回转装置滑块磨损量		√	√	—
13	调平装置	钢丝绳及绳轮磨损程度	—	—	√
		配重导轨平直度	—	—	√
14	底板排水器的严密性		√	√	√
15	机械柜位计钢丝绳磨损程度		√	√	√
16	紧急放散管的锈蚀度及是否畅通		√	√	√
17	底部油沟液位显示镜		√	√	—
18	预备油箱清洁度		√	√	—
19	油泵站	液位计动作的准确性	√	√	—
		油泵的供油量确认	√	√	—
		油箱、滤网清洗	√	√	—
		油水分离器的锈蚀度	√	√	—
20	活塞运行倾斜量		√	√	√
21	活塞水平旋转量		√	√	√
22	活塞压力波动		√	√	√
23	柜体仪表读数校对		√	√	—
24	电器设施		√	√	√
25	工艺管路		√	√	√

注：膜密封柜的紧急放散管指自动放散系统；√表示要进行此项检查。另外，严密性检验应视柜体各部分的泄漏情况进行。

7.0.4 本条根据多个检修单位检修时已发生的事故教训编制。

一般有油场合是不允许动火的，密封油属丙类可燃液体，动火作业前应彻底清洗，如果焊接可能引燃焊接区附近或下方的密封油等可燃物，也应采取可靠的防护措施。

7.0.5 工业企业时常有调整干式柜工作压力的客观需要，调整工作压力时操作不当将影响干式柜的安全运行，故作出本条规定。

统一书号：1580242·689

定　　价：14.00 元